唐朝有个诗人看到我们吐丝作茧，哭得泪人儿似的，我想笑

谁说胖子没前途？我越胖，吐的丝越多，作的贡献就越大

绵延的丝绸之路上经久流传着我们的传说

蚕的日记

汤素兰/著　　姜　楠/绘

中国少年儿童新闻出版总社
中国少年儿童出版社
北　京

这是我小时候的样子。我不是一粒芝麻，我是一颗蚕卵。

谁生来就长得好看呢？蝴蝶小时候是一条毛毛虫，高贵的白天鹅小时候还是一只"丑小鸭"呢！

4 月 15 日

哈,这是现在的我——蚁蚕宝宝!像不像一只黑蚂蚁?其实我跟蚂蚁完全不一样!

蚁蚕宝宝最爱吃桑叶,我们吃起桑叶来狼吞虎咽。

蚂蚁大哥,你的力气好大呀!

4

　　我吃了就睡，睡醒后接着吃。

　　每一次醒来，我都发现自已长胖了，长白了，长大了，身上的衣服都绷开了！人们把这叫作"蜕皮"。

7

4 月 23 日

每蜕一次皮，我就会长一"龄"。
我一共要经历五个龄期。
啊，多鲜嫩的桑叶呀！继续吃！

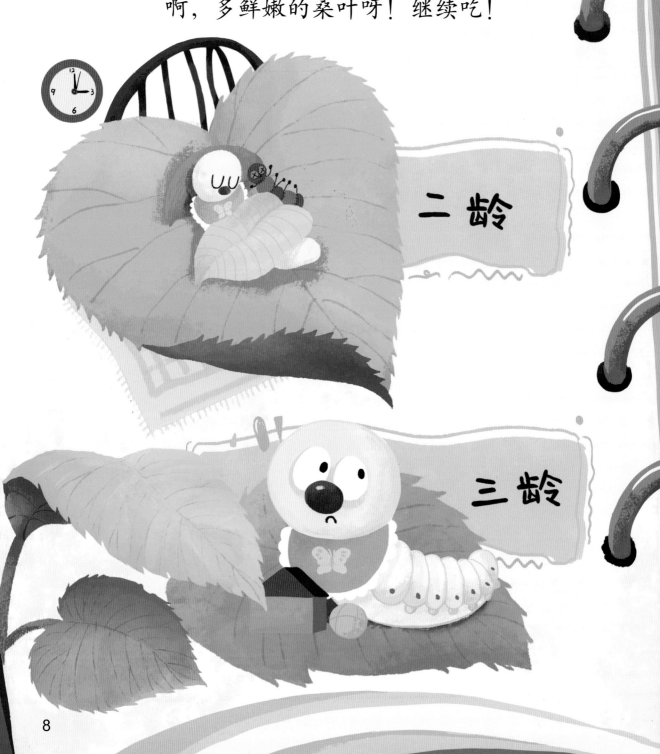

二 龄

三 龄

8

四龄

五龄

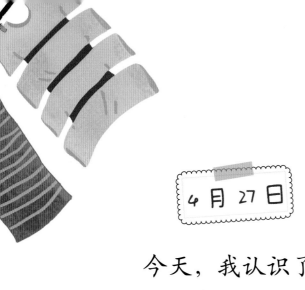

今天，我认识了一个叫纺织娘的朋友。

她说我最后会变成熟蚕，而且会吐很多丝！

我吓了一跳："吐很多？是呕吐吗？是因为我吃得太多吗？那我什么也不吃了！"

5月3日

　　我现在长得跟蚂蚁完全不一样了。
看着蚂蚁们排着队出门，我很羡慕，
我很想问问我的兄弟姐妹，是不是也
想那样轻松自在地散步，可是他们整
天只顾吃和睡，根本不理我。

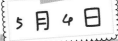

　　我今天又遇到了那个纺织娘。她告诉我，我吐的东西能做丝绸。丝绸是中国的特产，中国还有一条通向世界的路，叫"丝绸之路"。

　　我在桑叶上爬行，凉丝丝的很舒服。在丝绸之路上爬是什么感觉呢？我想象不出来。

量身高

7
6
5
4
3
2
1
厘米

　　我把自已吃成了一个大胖子！看，现在的我已经超过 7 厘米啦。至于我现在的体重，大约是我小时候的一万倍！

　　红蜻蜓和细腰蜂都说我太胖了，唉，她们的确是一个苗条，一个细腰，我要不要减肥呢……

17

　　我是不是吃坏了东西？我在拉肚子！我的尼尼，以前又硬又黑，现在怎么变成这样了？又稀又绿……

　　还有我的胸部和腹部，为什么变成透明的了？

　　我的兄弟姐妹都在干什么啊？他们在吐！吐一些又黏又白的东西……太恶心了！

　　不好，我也要吐啦！

19

5月9日

　　谢天谢地！我终于把一肚子黏黏糊糊的东西吐完了！

　　但我好像又变身了，变成了一个蛹。

　　这是在哪里？我什么时候为自己织了这么一座小房子，而且自己已经住在了里面？

　　啊，我明白了，这就是人们说的"茧"吧。

　　这十天，我静静地呆在茧里，感到身体里好像有些东西在消失，有些东西在生长。

　　这座小房子好安静呀！吐完丝以后，我正需要这样一座封闭的房子来好好休息。我突然明白了，这根本不是人们所谓的"作茧自缚"！

　　我从睡梦中醒来，
感到阳光透过白色的茧，
照在身上，我仿佛听到
外面有谁在呼唤我。

我先用口水将茧软化，然后用头使劲儿往外顶，慢慢地、一点儿一点儿地，我终于从这茧里钻了出去。

5 月 21 日

啊，我出来啦，又见到金色的太阳，看到绿油油的桑叶了！

这是我吗？我不再是一条蚕虫，而是一只蚕——蛾！

今天，我又见到了纺织娘、细腰蜂和红蜻蜓，她们已经完全认不出我来了。

她们呆呆地看着我，问道："你是天使吗？"

5 月 23 日

今天，我见到了一只同样全身洁白、美丽非凡的蚕蛾。我们相爱了！

他把爱给我以后就死了。我很伤心，但仍然努力地产出了几百个卵。这时候的我，也已经精疲力尽了。我知道，我也会在不久后死去。

我突然明白，我的父母也像这样用自己的生命换取了我们的生命。

我们的生命虽然短暂，可是，短暂的一生里有那么多变化，而且，我们吐的丝还能为人类贡献出那么美丽的丝绸。啊，多么奇妙的生命！

图书在版编目（CIP）数据

蚕的日记 / 汤素兰著；姜楠绘. -- 北京 ： 中国少
年儿童出版社，2021.12
ISBN 978-7-5148-7148-7

Ⅰ．①蚕… Ⅱ．①汤… ②姜… Ⅲ．①儿童故事－图
画故事－中国－当代 Ⅳ．①I287.8

中国版本图书馆CIP数据核字(2021)第236792号

CAN DE RIJI

出 版 发 行： 中国少年儿童新闻出版总社
中国少年儿童出版社
出 版 人：孙 柱
执行出版人：张晓楠

审 读：陈 博 齐 菁 王志宏		特约审校：刘 晔	
责任编辑：王 燕		责任校对：柯 超	
美术编辑：张 璐		责任印务：李 洋	
封面设计：张 璐			

社 址：北京市朝阳区建国门外大街丙12号　　邮政编码：100022
编 辑 部：010-57526809　　　　　　　总编室：010-57526070
客 服 部：010-57526258　　　　　官方网址：www.ccppg.cn

印 刷：三河市中晟雅豪印务有限公司

开本：787mm×1092mm 1/16　　　　　　　　印张：2.5
版次：2021年12月第1版　　　印次：2021年12月河北第1次印刷
字数：31千字　　　　　　　　　　　　　　印数：5000册

ISBN 978-7-5148-7148-7　　　　　　　　　定价：37.00元

图书出版质量投诉电话010-57526069，电子邮箱：cbzlts@ccppg.com.cn